À tous les membres de la famille

L'apprentissage de la lecture est l'une de[s ...] importantes de la petite enfance. La coll[...] pour aider les enfants à devenir des lect[...] Les jeunes lecteurs apprennent à lire en [...] fréquemment comme « le », « est » et « et [...] phoniques pour décoder de nouveaux mots et en interprétant les indices des illustrations et du texte. Ces livres offrent des histoires que les enfants aiment et la structure dont ils ont besoin pour lire couramment et sans aide. Voici des suggestions pour aider votre enfant avant, pendant et après la lecture.

Avant

Examinez la couverture et les illustrations, et demandez à votre enfant de prédire de quoi on parle dans le livre.

Lisez l'histoire à votre enfant.

Encouragez votre enfant à dire avec vous les formulations et les mots qui lui sont familiers.

Lisez une ligne et demandez à votre enfant de la relire après vous.

Pendant

Demandez à votre enfant de penser à un mot qu'il ne reconnaît pas tout de suite. Donnez-lui des indices comme : « On va voir si on connaît les sons » et « Est-ce qu'on a déjà lu un mot comme celui-là? ».

Encouragez l'enfant à utiliser ses compétences phoniques pour prononcer d'autres mots.

Lorsque l'enfant a besoin d'aide, lisez-lui le mot qui pose un problème, pour qu'il n'ait pas trop de mal à lire et que l'expérience de la lecture avec les parents soit positive.

Encouragez votre enfant à lire avec expression... comme un comédien!

Après

Proposez à votre enfant de dresser une liste de mots qu'il préfère.

Encouragez votre enfant à relire ses livres. Il peut les lire à ses frères et sœurs, à ses grands-parents et même à ses toutous. Les lectures répétées donnent confiance au jeune lecteur.

Parlez des histoires que vous avez lues. Posez des questions et répondez à celles de votre enfant. Partagez vos idées au sujet des personnages et des événements les plus amusants et les plus intéressants.

J'espère que vous et votre enfant allez aimer ce livre.

Francie Alexander,
spécialiste en lecture
Groupe des publications
éducatives de Scholastic

Pour Justin Thomas
— M.P.

Pour ma mère et mon père
— C.G.

Catalogage avant publication de la Bibliothèque nationale du Canada

Packard, Mary
  Bonjour, printemps! / Mary Packard ; illustrations de
  Claudine Gévry ; texte français de Marie-Claude Hecquet.

(Je peux lire!. Niveau 1)
Traduction de: Spring is here!.
Pour enfants de 3 à 6 ans.

ISBN 0-439-96618-3

I. Gévry, Claudine II. Hecquet, Marie-Claude III. Titre.
IV. Collection.

PZ23.P324Bo 2004   j813'.54   C2003-907428-5

Édition publiée par les Éditions Scholastic, 175 Hillmount Road,
Markham (Ontario) L6C 1Z7.

5 4 3 2 1   Imprimé au Canada   04 05 06 07

Bonjour, printemps!

Mary Packard
Illustrations de Claudine Gévry

Texte français de Marie-Claude Hecquet

Je peux lire! — Niveau 1

Éditions
SCHOLASTIC

Au revoir, l'hiver.
Au revoir, la neige.
Le printemps sera bientôt ici.

Bonjour, les fleurs!
Bonjour, le soleil!
Le rouge-gorge est arrivé, lui aussi.

Les oisillons dans leur nid
apprennent à chanter.

Le printemps est ici,
voilà le camion de crème glacée.

J'aime le bruit que fait mon bâton
quand il frappe la balle lancée.

De tous les sons du printemps,
c'est l'un de mes préférés!

Bébés cygnes et canetons
nagent en file sur l'eau.

Bientôt de petites plantes pousseront
sous le soleil brillant et chaud.

Le vent léger et frais
soulève mon cerf-volant
et emmêle mes cheveux.

Au revoir, manteaux.
Au revoir, chapeaux.
Bonjour, douce brise du printemps!

Maman a préparé un pique-nique
que nous mangeons dans le parc.

Que c'est bon de jouer dehors
jusqu'à la tombée de la nuit.

Tu vois les petites feuilles dans les arbres? Elles sont si jolies.

Des bouquets de pétales roses
leur tiendront bientôt compagnie.

Des fleurs jaillissent de partout...

et colorent le paysage.

La pluie tombe à grosses gouttes
et mouille mon visage.

J'aime le printemps.
Et toi?